늘
푸른
이야기

이 미 라

늘 감사하고
행복했습니다.
이 책이 작은 기쁨이
되어 드린다면
참 기쁠것 같아요.

늘
푸른
이야기

LEE MI RA SPECIAL EDITION

늘 푸른 이야기 2

이미라

학산문화사

늘 푸른 이야기 2권

늘 푸른 이야기 2권 9

제가 레몬스퀴시
만들어드릴게요.

짠~! 상큼하고
시원한 사랑의
레몬스퀴시입니다.

흑나비라고 했지.
다시 만날 수 있으면
좋겠다.

우리 사촌 오빠
소개해드릴까요?

부모님이
돌아가신 뒤
우리 집에서
같이 지내고
있어요.

사촌 오빠?

제군들,
내주부터 문화제 행사가
시작된다.

하지만!

항상 입시를
염두에 두고
보람찬 시간을
보내도록.

알다시피 창밖의
저 은행잎이 떨어지고
또 새 잎이 돋고
그 잎이 떨어지면…,

대입 학력고사가 시작되니!!

으음…

어떻게 해야
직성이 풀릴까.
저 박쥐 같은 녀석…

좋은 생각 없어?

기다려봐.
날 잡아 묵사발을
만들어놓을 테니.

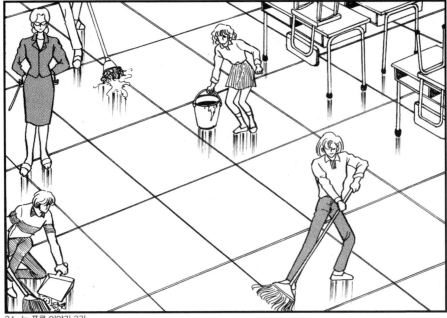

당장 동서남북으로
흩어져 슬비를
찾아오도록!!

엇 쓰써!

매 점

후루룩—.

응?

이슬비—!
슬비야!

선생님이 사방으로 너를 수배하고 계셔! 빨리 가봐!

뭐? 왜, 왜?

오해야! 난 먹고 난 뒤 힘내서 기운차게 하려고 그랬는데…

양푼면

청소 시간만 되면 빠지니까 그렇잖아.

아무튼 빨리 가봐.

알았어. 고마워, 현선아.

그들…
이야.

장미?

전갈 삼총사에 대해서
좀 더 조사해줘.

하나도 빠짐없이
상세하게.

맡겨둬!

언니에게
허물이 있었다면
서지원을 사랑한 것!

이 가을…,
낙엽…,

그리고 대자연.

그래,
요즘은 고등학생도
피운다는 말을 들었어.

문까지 잠그고….
역시 수상해.

성급하게 굴어서
미안하다, 푸르매.
슬비가 잘못
알았나보다.

허허…

으윽—!
역시 누나가.

아, 아버지.

내가 말했지.
내 앞에서
한 번만 더 싸우면
한 달 용돈은
없다고!

싸…,
싸우긴요.

우리가 얼마나
다정한 남매인지
모르시고 하시는
말씀이에요.

슬비, 손에 들고 있는 건 뭐지?

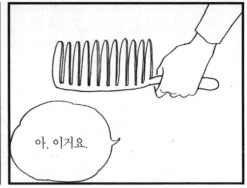

아, 이거요.

푸르매, 착하지. 누나가 머리 빗겨줄게. 글쎄, 애가 워낙 부끄러움을 많이 타서….

여기요!

호 호

자, 거울 봐. 예쁘지? 곱슬머리라서 잘 안 빗겨지지만.

우으~! 이 손톱자국….

……

괜히 거짓말 했나.

이 아버지는
정말 슬프구나.

부모에게
아무렇지도 않게
거짓말을 하는
자식이라니….

그 소녀, 두 번째 본 거지만
지혜를 많이 닮았다.

하 하

오빠야,
이 꽃 이름은
뭐야?

으응, 장미야.
로얄 골드.

언제나 둘이서 뛰어놀았다.

장미 만발한 정원에서…

나는 꽃을 가꾸고
지혜는 나를 도우며….

정말
서른 밤만 지나면
오는 거야?

그럼…

지혜가
건강해져서
오는 거지?

그럼.

…나는,

약속대로 기다렸는데….
지혜에게 줄 꽃을
다듬으면서

기다리고 기다렸는데….

그 서른 번의 밤은
100번도 더 지나버렸어.

일요일은
뭐니 뭐니 해도
등산이 최고지.

다시 한번
잘 살펴봅시다.
뭐 빠진 게 없는지.

글쎄요,
없지 싶은데….

코펠, 버너, 그리고
끼니거리만 제대로
챙겨넣으면 돼요,
아빠.

누‥구‥?

한심하군. 저렇게 비명 지를 바에야 안 들어가면 그만이지 돈까지 주고 들어가?

흥~

괴기전

난 곧 강당에
가야 돼.
너도 갈 거니?

저 애가
푸르매의
누나라고?

으응…

뭐야, 슬비는….

저런 녀석이나
좋아하고.
차인 주제에.

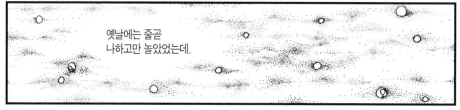

옛날에는 줄곧
나하고만 놀았었는데.

…그래, 옛날에는….

언니, 참, 장미 언니가
오늘 회식 있다고
연극부로 언니랑
같이 오랬어요.

그래?

슬비 언니,
빨리 와요ㅡ.

…장미를… 좋아하고 있어.

장미를…

장미를 좋아하고 있어!

그래, 누구라도
그러하겠지.
그 예쁘고
자신에 찬 얼굴,
매혹적인 자태.

누구라도,
그 누구라도….

길고 긴 인생—,
좋은 일도
나쁜 일도 많기
마련이지요.

일희일비 말고
힘내십시오.

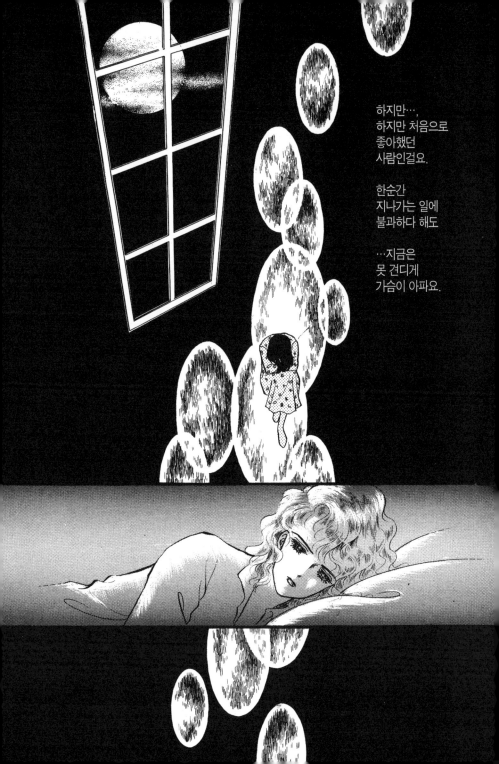

하지만…,
하지만 처음으로
좋아했던
사람인걸요.

한순간
지나가는 일에
불과하다 해도

…지금은
못 견디게
가슴이 아파요.

자, 이번에는
쎄쎄쎄… 하자.

쎄쎄 세
아침바람
찬바람

♪

흥!
고양이 따위.

☆☆☆☆☆☆☆☆☆☆☆☆☆☆☆☆☆☆ ☆☆☆☆☆☆☆☆☆☆

이젠 뭘 하지?

미야, 우리
숨바꼭질 할까?

야
옹
~
배
고
파
옹

면상으로
해결하자

끄르륵

그래, 우리 아직 아침 식사도 안 했잖아. 우리 뭐 먹을까?

한식 양식 일식 중화요리

미야, 여기 메뉴판이 있어.

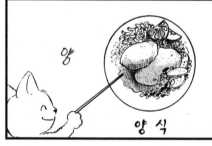

양

양식

그래, 나도 마침 비프커틀릿을 먹고 싶었는데, 잠깐만 기다려. 곧 만들어줄게.

옥수수 스프를 맛있게 끓여서 라랄…♪

토 토 톡

양파를 예쁘게 깎아서 양동♫

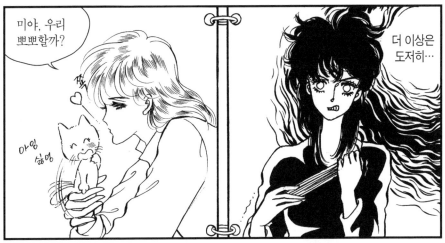

야옹

야아옹

찍

이아옹

꾸앙

요 알미운
고양이 새끼야.

천하의 월향선이
네가 남긴 음식 따위를
먹어서야 되겠느냐?

야

야

옹

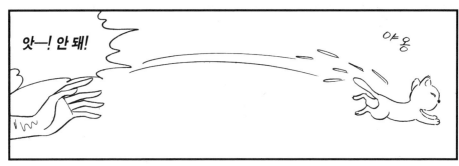

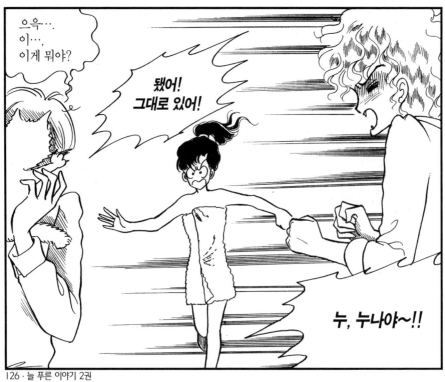

아..

뭐야,
잔뜩 어질러놓고
어디 가는 거야?

으응,
그럴 일이
있어.

오늘은 최고로
예쁘게 보여야
한단 말이야.

헤헤~. 기사님을
만나는 날이거든.

흥, 그 녀석하고 잘 되어가나 보지?

호박이 꾸민다고 수박되는 거 아냐. 적당히 하고 와.

뭐야? 저 녀석이!

그런 소리 듣고 싶지 않으면 적당히 해두란 말이야. 기다리시는 엄마 생각도 좀 하라고.

아빠는요?

세미나 관계로 새벽에 부산 가셨어.

어머나, 오늘 우리 슬비 데이트 약속 있구나.

어? 어떻게 아셨어요?

흥, 데이트? 데이트라고?!

엄마는 슬비 얼굴만 봐도 알지. 그래, 어떤 왕자님일까?

왕자님? 그깟 녀석에게 왕자님이라니.

지나가던 바퀴벌레가 다 웃겠다.

헤헤…

왕자님 아니고 기사님이에요. 으응~, 그래. 그 사람만큼 기사라는 칭호가 어울리는 사람은 없는 것 같아요.

쳇, 기사라고? 기사 좋아하시네. 별 족제비 같은 기사도 다 있군.

아무튼 내가 본 사람 중에서 최고예요.

친절하고, 상냥하고, 핸섬하고.

선수들간의 거리가
조금씩 벌어지기
시작합니다.

선두에 4번.
유일한 여성 참가자인
백장미 양ㅡ.
뒤를 이어 6, 7, 8번 선수가
바짝 쫓고 있습니다.

그리고
약간 떨어진 뒤에
2진 그룹이….

장마ー!

장미, 괜찮아?
안 다쳤어?

괜찮아.
운이 나빴을
뿐이야.

이쪽에
앉아.

위험해!

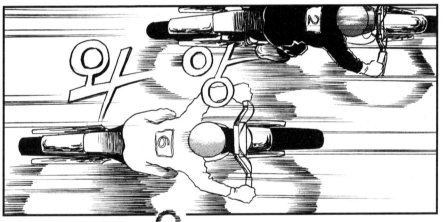

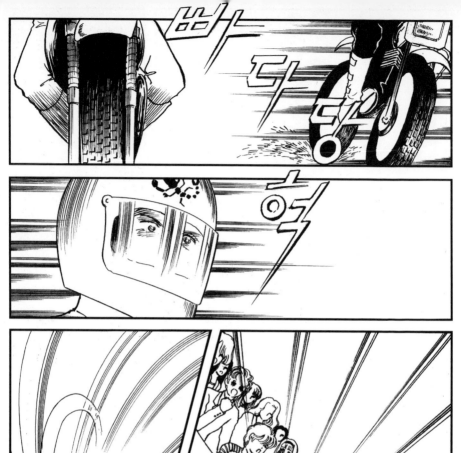

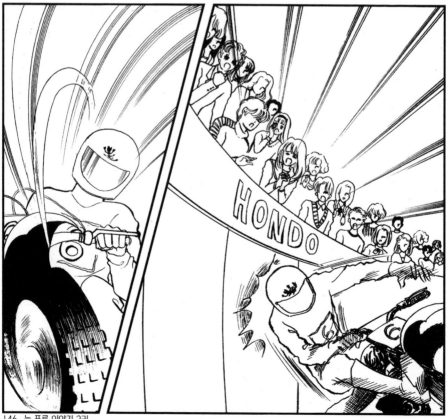

흑나비…
정의의 기사.

어린 날
슬비를 위한
한 송이의 장미를 든
그날부터
또 하나의 그림자로
존재하는 나.

조그만 도움에도
기뻐하는
나의 슬비….
내 공주님.

정말 네 왕자님이 나타날 때,
그리하여 나는 더 이상
필요하지 않게 될 그때까지….

…그 어린 날의
맹세 그대로!

그래서 말이에요.
엄마, 흑나비가…

네게 꽃다발을
던져주었단
말이지?

네.

아주 정확하게
내 머리 위에
떨어지더라구요.
친구들이
막 놀리는 통에
부끄러서
혼났어요.

꽃다발을
잘 말려 보관하면
감동이 좀 더
오래 지속될 것
같은데?

앗ㅡ, 그렇군요,
정말.

겨우 꽃다발이라니.
나에게는 세상 다 줘도
바꿀 수 없는 거야.

아, 얼마나
훌륭했는지 몰라.
푸르매 너도
봤더라면
좋았을 텐데…
…정말 최고였어.

라이더의 일인자
흑나비가 준 거란
말이야.

후훗ㅅ

알았어,
건드리지 않으면
되잖아.

…그날
맹세한 바와 같이!

서지원,
이 철없는 어린애야.
머지않아서
네 위에 군림하는
나를 보여주마.

이번에 취입한
곡이구나.

나를 기쁘게 했던 뜻밖의 일이
다시 생기진 않으리라.

고요한 밤에 소파에 누워서
우는 일도 이젠 없으리라.

우리 둘이
서로 등을 돌리고
저녁 속으로 걸어가도
변할 것은 아무것도
없으리라.

귀여운 뱀은 여전히 꽃 속으로
바닷게들도 여전히 옆걸음질 칠 것이다.
더 이상 기댈 곳도 없다.
…난 떠나야겠다.

우리는 고독해.
서로 그렇지 않은 것처럼 행동할 수 있을 뿐이야.
가라앉은 섬 아틀란티스가 다시 떠오른다 해도
세계가 가르쳐준 엄청난 무게의 고독은 떨칠 수 없어.
숨을 쉬거나 잠을 자거나 빵을 먹는 따위의 일만
할 수는 없어.

사랑한 그대를 의심한 끝에
내 안의 우주가 무질서해져도
영원히 잠드는 휴식 외에
다른 휴식을 바라진 않겠어.

차라리 말없이 고개 숙이고
세상에 한 번도 태어난 적 없는
고독한 사람의 길을 택하겠어.

지원….

나는 언제나
당신 곁에 있는데
당신은 왜 늘 혼자라고
생각하는 거지?
왜 그런 아득한 모습을
보이는 거야?

나는 언제나
승리자이고 싶었는데
당신 앞에선 늘 패배자야.
이렇듯 초라할 수가 없어….

하지만 나···,
절대 떠나보내지
않을 거야.

슬비! 빨리 밖을 봐!
지금 아니면
볼 수 없는 화면이
지나가니까!

으응?

예일고교의
검은 튤립이다.

흥, 촌닭들만
있는 줄 알았는데
제법 괜찮은 계집애도
있잖아.

헤이~. 우리랑 놀러 가지 않을래?

이런 남녀공학의 시시한 녀석들보다 예일고교의 엘리트들과 어울리는 게 좋을 거야.

으윽..., 저게.

승낙한 걸로 알고 이 학교 앞 MY HOME에서 기다리지.

가자!

뭐 저런 것들이
다 있지?

감히 장미에게
수작질이라니,
나 참…

야, 들었니? 빅뉴스야!
예일고교의 학생회장이
백장미 양에게
교제 신청을 했대!

게다가
우리 학교를
삼류 취급
했다더라.

쾅

뭐라고?
그 녀석들이?!

우~.
참을 수 없어.
나의 장미 양이
그런 녀석과…

인정할 건 해야지.
예일고교는
명문대 합격률이
1위인 명문고 아냐.

검은 튤립은
엘리트들의
집단이고.

NSS2865B

무슨 일이야,
장미?

……

뭐야,
이 못난이는?

못·난·이?

그러는 넌
하등 동물 주제에
말버릇도 나쁘군.

하…,
하등 동물?

호오~. 어느새
아마존의 전문 용어까지
다 익히고….

응?

야! 혁진아, 경식아—!
너희들 어디 가냐?!

헐레벌떡

푸르매—, 너도
MY HOME으로 빨리 와.
백장미랑 너희 누나가
검은 튤립과 만나고 있대.

백장미랑 슬비가
검은 튤립을 만나는 게
그렇게 구경거리인가?

다시 한번 말해봐!
누가 누구를 만난다고?

거…,
검은 튤립.

예일고교의
학생회장.

어디지?
어디서 만나고
있대?

검은 튤립을
만난대.

정말
유령 같은
녀석이야.

MY HOME.

그럴 수가…

……

승용차를 타고 갔다면 드디어 녀석들의 술책에…

종인이 너, 검은 튤립을 잘 알아?

잘 알고 말고. 초등학교 땐 같은 반, 중학교 땐 내 짝이었어.

까득ㄴ

태어나서 그 녀석처럼 비겁하고, 건방지고, 사악하고, 오만방자한 녀석은 처음 봤어.

언제나 찰거머리처럼
내 옆에 붙어서 나의 지성과
수려한 용모를 시샘했었지.

내가 푸른고교를
지원한 것도 그 녀석이
꼴보기 싫어서였어.

서두 본론은
모르겠지만,
후반부는
안 믿긴다.

그래,
우린 추첨으로
푸른고교에
왔잖아.

또 나왔다 해해

그런 것보다
검은 튤립의
술책이라고
한 것부터
설명해봐!

…전에 살던 곳에는
옆집에 또래의
여자애가 한 명
살고 있었어.

굉장히 착하고
그리고 순진해서
누구나 다 좋아하는
소녀였어.

그, 그게 정말이야?!

그래.
난 거짓말 같은 건
할 줄 몰라.

어떡하지,
푸르매…?

걱정할 필요는
없을 거야.

난 백장미 양이 걱정돼!

슬비는
남자애 같아서
건드리지 않을지도
모르거든.

시끄러워!

어쨌든 나가서
찾아보자.

으윽…,
저럴 수가….

게다가 술에
담배까지….

모두
우리 또래인데….

이제 보니
아주 나쁜 곳이야!!!

동구밖 과수원길 아카시아꽃이 활짝 폈네

하아얀 꽃 이파리 눈송이처럼

난리네..

향긋한 꽃냄새가 실바람타고

솔~솔~

둘이서..

말이 없네

열굴 마주 보면 생긋...

아카시아 꽃 하얗게 핀 먼 옛날의

과수원 길.

검은 튤립.

앙큼한 것들.

우리가 왜 검은 튤립인지 보여주지.

아직까지 우릴 이렇게 망신시킨 여자는 없었는데. 각오는 돼 있겠지?

장미, 비둘기—, 먼저 가. 손 좀 봐줘야 할 악당들 같아.

언니, 빨리 끝내고 와요—!

빨리 쫓아라.

잠깐—!

여기부터
통행금지.

하?

못생긴 게
꼴값을 해요.

상대 말고
저 계집애들이나
쫓아!

어딜—!

이게 안 비켜?

괜찮아요,
언니?

아….

쓰레기들….

절대로
용서 못해!

이건 또….

닭 대신에
봉황이네.

드으므르

비둘기…

차를 타려는데
이 사람들이 와서…
끌려 왔어요.
버티려… 했지만
어쩔 수가 없었어.

사람들이
그렇게 많았는데,
맞고 끌려오는데도
아무도 도와주지
않았어요.

아무도
도와주지
않았어요!

하아~, 이봐, 오늘은 맛 간 애들이 왜 이렇게 많냐?

글쎄, 상당히 보기 드문 현상이야.

내게 맡겨.

고마운 놈. 계집애들에게 당한 수모를 못 풀어 울화병이 도지던 중인데 요렇게 때맞추어 나타나 주다니. 흐흐~.

어이—, 돈키호테, 나였다면 이런 풍경 안 보이는 척 지나갔을 텐데. 후회하기엔 너무 늦었어.

탁

쓰레기를 보고 그냥 지나치는 성격이 아니라서.

이 새끼가 쥐약을 처먹었나?!

꺄 아—

픽

경고한다는 걸
깜빡했는데,
내 뜻하곤 달리
내 몸은 폭력적 성향이
좀 있다네.

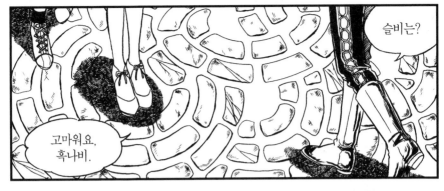

몇 명이 가로 막아 상대하고 있었어요. 슬비 실력을 믿어서 별걱정 없이 먼저 피했고요. 근데… 이자들 하는 짓을 보니 왠지….

……!

결국 슬비 쪽도 조용히 넘어가진 않았다는건가.

헤어진 지 얼마나 됐어?

아―! 뒤, 뒤에…!

…그러니까 약 30분 정도.

정말 귀찮은 녀석들이군.

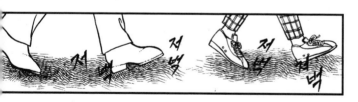

내가 본 그 누구보다도
강한 사람…,
최고의 무도인이다!

다녀왔습니다.

늦었구나.
어서 씻고
식사하렴.

먹고 왔어요.
어, 빨래 하시네?

잘됐다.
이것도
빨 거예요.

아, 아니, 옷 꼴이
그게 뭐니?

오늘 아침에
갈아입고
간 거 아냐?

야옹아,
나의 공주님은 정말 바보지?
아무것도 모르면서
늘 소리만 지른단다.

…아무것도 모르면서….

여, 여보!
큰일났어요!

이 신문 좀 봐요!

무슨 일인데
그래요?

신문 톱기사
좀 보라니까요.

대체 뭘 갖고
그러시오?
남북통일이라도
된답디까?

6명의 고교생
폭력배 일당을 소탕하다!!

↑폭력배 일당을 소탕한
용감한 고교생.
아래쪽 左로부터
조미경, 이슬비, 백장미.
위쪽 左 전혁진, 이상록, 조종인.

검거된 폭력배 30명.

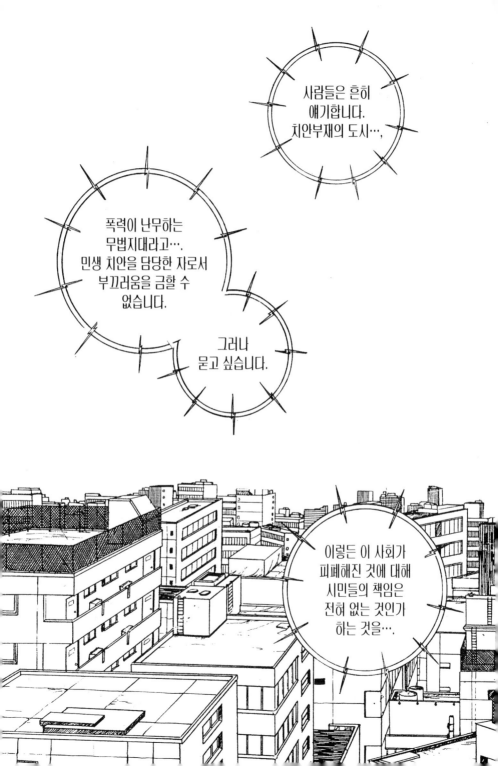

저 자신,
그 용기있는 행동과
정의로운 기상에
부끄러우면서도
감동할 따름입니다.

보십시오.
자라나는 동량들의
저 아름다운 모습을ㅡ.
얼마나
자랑스럽습니까.

※슬비네 학교는 공식 행사 때는 (월요일 조회 포함)
반드시 교복을 입는다.
평소에는 자유.

외과 : 담당 이병호

슬비.

뭐…뭐야,
갑자기 눈이
막 부시다니….

너, 집에선
일찍 나가더니
이런 곳에서
뭐 하는 거니?

으응,
좀 볼일이
있어서….

볼일?

여기서 네가
무슨 볼일이 있다고….

고양이
한 마리

너희들은 분명 우리를 찾아 나섰는데,
이상하게도 흑나비란
의외의 인물이 나타나고
넌 보이지 않았지.
길이 어긋나서 헤맨 거라고
했지만,
네가 바보도 아니고
아무래도 납득하기
힘든 변명이었어.

…그런데…
오늘 등교하는 일보다
더 우선적으로 이곳을 찾은
널 보고서 의문들이 풀렸어.

내 추측이
틀린 거야?

…넌 그날
거기 오지 못한 게
아니었잖아.
내 말이 틀려?

……

…틀리지 않았어.

......

그럼 그렇지—!
형광등이 갑자기
번갯불이 될 리가 있나!!

...쳇! 커다란
병원 간판은
안 보이고

너무 성난 나머지
팔이 아프다는 것도
잊어 버린 상태

휙

어디 가는 거야?
학교 안 가?

귀퉁이에 있는
놀자판 오락실만
보이다니, 이건
작가의 농간이다.

나랑 같이 다니는 것
질색이라고 했잖아!
먼저 가라고!

아예
100m쯤 떨어져서
가줄 테니까!

네가 동생이라는 건
반 애들도 다 아니까
이제 더 이상
창피할 것도 없어.

......!

게다가 오늘은
짐이 너무 많아.

그날 깡패들하고 싸울 때
팔을 다쳤는데
피를 많이 흘렸다고.
난 걱정이 돼서
잠도 제대로 못 잤어.

정말 걱정 돼서
견딜 수 없지만
달리 알아볼
방법도 없고.

너무 걱정 마, 슬비.
10바늘 정돈
아무것도 아니야.
금방 나을 테니까
힘 내.

응?
으응…

까짓 한 달쯤이야
금방이다.

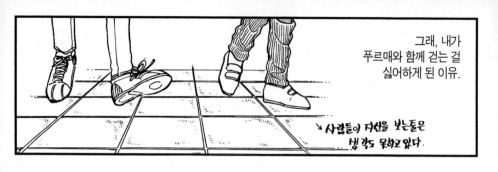

그래, 내가
푸르매와 함께 걷는 걸
싫어하게 된 이유.

사람들이 자신을 보는 돌은
생각도 못하고 있다.

숨기려고 해도 어쩔 수 없는 열등감.

…정말이지 푸르매는
내 동생이긴 하지만
대단한 미남이거든.

늘 같이 지내니까 잘 느끼지 못해도,
이렇듯 거리에 서면
누구라도 한 번쯤
뒤돌아보게 만드는 그런 눈부심.

…그래, 처음 만난 그 여름과 같은….

태어난 지 반년도 못 되어서
병원 신세를 지게 된 후
6살이 되어서야
겨우 집에 돌아올 수 있었지.

…그때
서먹서먹해 어쩔 줄 모르는 나를
눈부신 미소로 맞아 준
쌍둥이 동생.

너, 눈이
이 진주랑 닮았다.

반짝반짝하는 게
꼭 진주 구슬 같다.

온다!

어디?

와—!
정말이다.

까
야
—

으
아
으
아

뭐, 뭐야?

아
· 아야

그 시간 이후 슬비의 근황.

쉬는 시간에도…

졸 졸졸 …

졸 졸졸 …

체육 시간에도…

밥도 먹나?

반찬은 총격겸체내..

그리고 점심 시간….

어떻게 씹을까?

드디어는 최후의 순간까지도….

졸 졸 졸 졸 …

다른 5명 괴물(?)의 근황

난 별로
한 일도 없어.
그러지들 마.

백장미 양을
위해서라면
난 뭐든지
할 수 있다고.

좀 찔린다!

슬비 언니와
장미 언니가
대활약을…

막
날아다니는
거야, 글쎄.

담 담

타인의 권리를
보호함이
인간의 행위 중
가장 고상하고
훌륭한 것.
내 영혼은 언제나
지혜의 힘을
생각하며 무지와
횡포를 초월한
정의를 판단하지.

예언자

스스로의 능력에 대해
회의를 느꼈어.
자기만족에 빠져 있었던 걸
알게 된 거야.

…많은 걸
깨닫게 해 준
사건이었어.

슬비의 기사.
그는 과연 누구일까?

언제나
슬비 주위에
존재하는 듯한 사람.

그래,
마치 그림자처럼 말이야.

휘유~. 오늘에야
겨우 푸르매 네가
이해되더라.

그래, 너 평소에
여자애들에게
쫓겨다니며
피곤해했었지.

생각해보니
너, 제법 착한 듯?

맞아. 걔들에게
싫은 내색 한 번 않고
친절하게 상대해줬잖아.
나 같으면 며칠도 못 가
질려버렸을 거야.

아니면… 혹시
천부적인 바람기가
원인인가?

죽을래ㅡ!

앗! 장미 양,
안녕하세요.

…안녕.

좀 생각해봤어요?
독서 클럽 말입니다.
그렇게 만난 것도
인연인데.

우린 아마존과
친해지고
싶습니다.

후훗….
모두 좋은 사람들이야.

생각해볼게요.

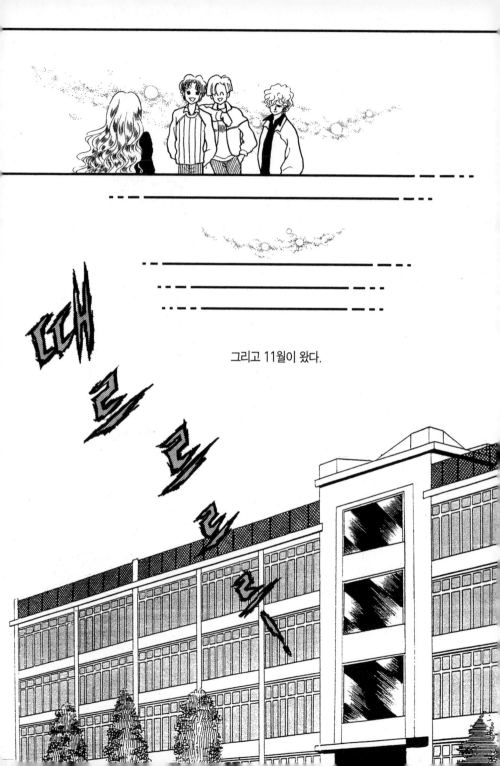

그리고 11월이 왔다.

그… 소녀.

이름이 뭔지는
잘 모르겠지만
다시 만나고 싶다.

우연히는
잘 마주치더니
막상 찾으려니까
보이지 않아.

차려ㅇ

얼쩡…

무슨 소리!
귀여운 자식에게
매 한 대 더 준다는 것
몰라?

이 녀석이!
말 안 들을래?

야아옹ㅡ

철썩ㅡ

슬비, 넌 고양이가
불쌍하지도 않아?
만날 못살게
구는 것 같아.

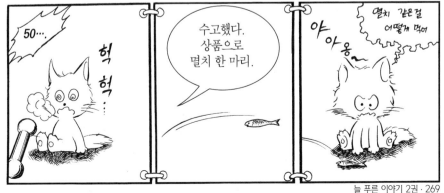

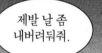

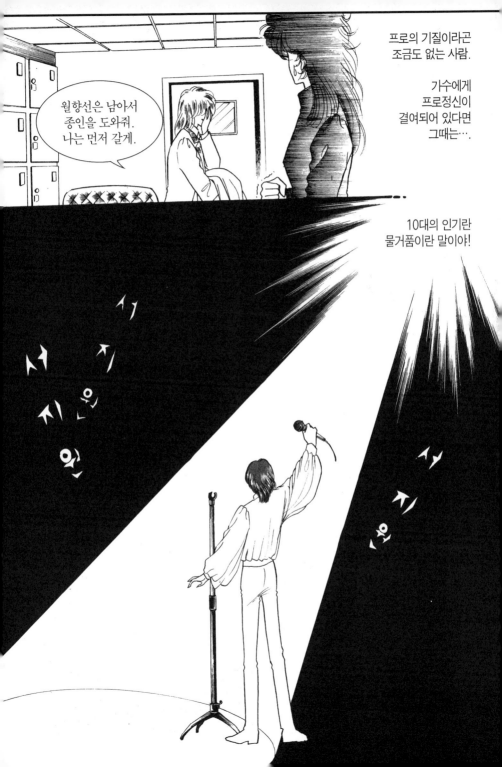

아니, 잠깐.
서지원이
아니잖아.

으응?
누구야?

왜 엉뚱한
사람이지?

서지원 콘서트
아니었나?

서지원과 에버그린을
아껴주시는 팬 여러분,

오늘도 이렇게
찾아주셔서
감사합니다.

야! 들어가!
넌 뭐냐?

서지원을
내보내라!

꺼져라,
못난이!

저는 에버그린에서
기타와 서브보컬을
담당하는 조종인입니다.

조종인인지
조종사인지
알 바 없어!

우리들에게 서지원을
보내라!

서지원—!
서지원—!

언제나 아낌없는
사랑을 베풀어주신
팬 여러분,

오늘이야말로
여러분들의
보다 큰 이해와 사랑이
필요한 날인지도
모르겠습니다.

서지원—!

넌 들어가, 못난이!

…오늘 서지원은
나올 수가 없습니다.
왜냐하면…,

그는 지금
여기에 없기
때문입니다.

저, 저 녀석이
무슨 짓을
하려는 거야!

조용—!
계속 들어보자고.

지원 형은 조금 전에
과로로 쓰러져 병원으로
실려갔습니다.

그의 심정은 아마도
여러분들에 대한
죄책감과 안타까움으로
가득할 것입니다.

그렇게 심혈을 기울인
콘서트를 놓치게 된
그를 생각하면
저희도 안타까움을
금할 수 없습니다.

쉬라는
의사의 권고도 뿌리치고
무리한 일정을 강행한 것이
원인이었던 것 같습니다.

…정말 그가
얼마나 열심히
이 콘서트를
준비해왔는지….

이제,
저희 에버그린 멤버들은
그의 빠른 회복을 빌며
그의 대표곡들을
연주할 것입니다.

서지원과 에버그린을
사랑해주시는 팬 여러분,
저희들과 마음을 합하여
그를 격려해주시지
않으시겠습니까?

에버그린의 그늘 아래
맹수가 한 마리
잠자고 있었군그래.

이번엔 또 뭘 시키려는 거지?

응, 무술을 가르쳐 고수 고양이로 키울 거야.

우선 기본기부터.

애들아, 오늘 저녁은 뭘로 할까?

쪼을면!

비프 스테이크

그래? 그럼 누군가 시장에 다녀와야겠는데 누가 가지?

푸르매요!

왜 남의 팔을 함부로 들고 그래?

뭐야?!

사고다!

여자애가 뛰어들었대!

이게 무슨 일이지?
갑자기 차도로
뛰어들다니….

탕—

웅
성

웅
성

……

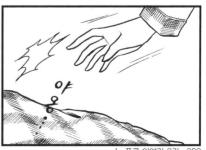

야
옹

이게
무슨 짓이야?

몰라서
물어?!

…….

아무리
생각해봐도
네게 따귀 맞을
이유는 없는 것
같은데?

이렇게 증거가
뚜렷한데도
발뺌할 거야?!
이걸 지원 씨에게
준 게 누구였지?!

그건…?

누구냐고!

얼마 전부터
누군가가 지원 씨의 일을
방해하는 듯한 느낌을
몇 차례 받았지만
설마 하고 넘겨버렸지.

그런데
오늘같이 중요한 날에
기어코 일이 터졌어.

내가 지원 형에게
준 거 맞아.
그런데 그게
어쨌다는 거지?

그동안 지원 씨의
건강 관리를 철저하게
해온 나야.

이렇게 갑작스럽게
구토증이 일어날 리가
없다고.

흥, 먹을 리가 없겠지! 안 그래?

…먹겠어!

지원은 유달리 비위가 약해서 그쪽으로 불편한 건 견디어내지 못해.

넌 그 점을 이용한 거야.

살모사 같은 자식! 네가 지원 씨에게 어떻게 그런 짓을 할 수가 있어? 끝까지 널 믿던 그에게 가책도 못 느껴?

지원 씨를 발판으로 삼고도 지원 씨의 팬들로부터 찬사를 받으며 화려하게 무대에 서다니 귀신도 울고 갈 계교야!

탁

우욱….

확실히… 네 말대로 수작을 부린 주스야.

…그래, 조종인 네가
결백하다면…,

네 조력자의 짓이
아니라면…
제3자가 있다는
얘기겠지,
지원 씨를 집요하게
노리는!

무엇 때문에…?

도대체 누가…,
왜?

두부 손상도
전혀 안 보이고
타박상도 별로 없고

혈압, 맥박
모두 정상…

정말?

으응…
나 안 갈 거야.

그래, 이리 와.
아무도 찾지 못하게
숨겨줄게.

그래

지원아ㅡ!

지혜야ㅡ!

나의 사랑 나의사랑

나의 사랑 클레멘타인

나를 버리고

혼자 두고

영영 어디 갔느냐...

...죽어?

그래.

지혜가?

그래.

...죽는 것은….
영원히 만날 수 없다는 것.
두 번 다시 얼굴을 마주하지 못하고
혼자…
차갑고 어두운 땅 속에
묻히는 것.

같이 놀 수도…
같이 노래할 수도… 없는 것.

…아무리……
아무리 보고 싶어도
못… 보는 거…야.

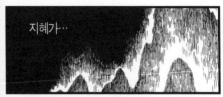
지혜가…

지혜…가.

지원아.

그날―,
그 어린 나이의 내게 휘몰아쳤던
죽음의 의미가 그리도 절박하고
그리도 아득했던 것은…

이미 그 사고를
예견하고 있었던
까닭일까?

과거는…

…과거는 더 이상
나의 것일 수 없음을 아는데….
언제나 그러하지.
마음은 과거를 숨쉬고,
육신은 현실을 살고,
꿈은 갈 길을 잃어
헤매다 헤매다 끝닿는 곳은
아득한 어둠.
죽음으로의 회귀.

…흩어지는 장미 꽃잎,
…흩어지는 내 노래,

흩어지는 지혜…,
너의 영혼.

늘
푸른
이야기

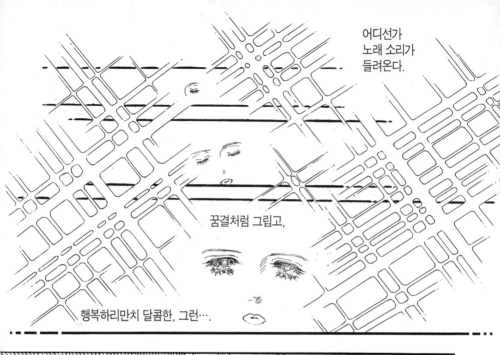

어디선가
노래 소리가
들려온다.

꿈결처럼 그립고,

행복하리만치 달콤한, 그런….

반
짝…

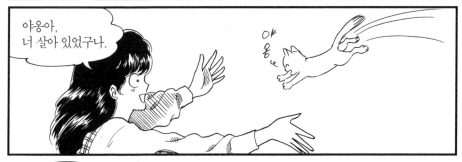

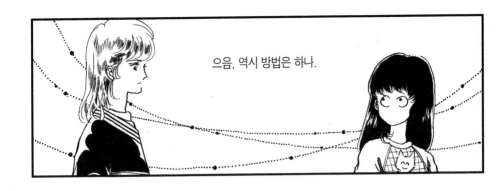

으음, 역시 방법은 하나.

가위 바위 보!

보—!

보!

미야, 눈치 볼 것 없어.
네 마음에 드는
사람에게로 가면 돼.

보복행위는
않기로 둘이
합의 봤어.

…서지원.

이 사람이 정말
TV에서 보던 그 사람일까?
무대를 수놓으며
노래 부르던 사람.
모두가 열광하고 사랑하는
청소년들의 스타.

…믿어지지 않는다.
이렇게도 다정하고
이렇게도 부드러운….

…….

그 상처….

미안해, 얼굴인데….
며칠간은 상처가
사라지지 않을 거야.

…예…?

후룩…
후루룩…

아, 이런 건 걱정 마세요.
이 정도는 별것도 아닌 걸요.
헤헤…, 중학교 때만 하더라도
상처 없는 날보다 상처 입는
날이 훨씬 많았다니까요.

에…. 또….

자세히 보면
제 얼굴엔 흉터가
참 많아요.

정말 보고 싶었어.

아무래도 동물원의
원숭이쯤으로
보이나 보군.

며칠째 내리
자기를 찾고 있었다고
얘기하면 믿어줄까?

…이것은
운명인지도 몰라,
슬비….

도대체 시장 보러 간 애가…

그러게나 말이다.

2시간이 지났는데 안 돌아오네.

분명 어디선가 만화 보다가 늦는 거라구요!

그냥 놔둬선 절대 안 돼요!

무슨 여자가 만화라면 물불을 안 가리고 시도 때도 없어!

……

뭐야? 사람 걱정이나 시키고.

안 되겠어요. 제가 찾으러 가볼게요.

그러겠니?

그래도 제일 생각해주는 건 푸르매야.

호호…

삐요

로 로 로 로

여보세요.

네,
슬비 집입니다.

슬비예요?

넷—?!
슬비가
교통사고—!

뭐라고욧?!

…당하려다가
가벼운 찰과상으로
끝났다고요.
아…, 네….

다음 기회에―
라고?

어쩐지
오싹해지는
이 느낌은
왜일까?

그래서, 그 사람이
그 고양이의 원주인
이었단 말이지?

예.

그 녀석, 제 주인은
용케 알아보던걸요?
어쨌든 괘씸하더라고요.
다쳐가면서까지 절
구하려고 했던
날 배신하다니…

그만하기가
천만다행이다.

금주의 히트 퍼레이드.
1위는 지난주에 이어
또다시 서지원 군의 신곡
「비아」가 차지했습니다.

에
헤

그러게 말이에요.
…그런데 그 젊은이
어디서 많이 본 듯한…

스…, 슬비야.
아까 그 사람…
하고 되게 닮았다.
그치?

에헤~.
그 사람 맞아요.
가수 서지원.

부모님께서 반대하시는 교제는 할 수 없다고 생각해서요.

…저로서는 다만… 저ㅡ, 부모님께서 허락해 주신다면 오늘 슬비와 함께 가까운 야외에라도 나가고 싶습니다.

여보….

으음.

슬비, 네 생각은 어떠냐?

아, 저…, 저는….

저, 옷 갈아입고 내려올게요.

호호~. 저건 승낙의 뜻으로 해석해야겠죠?

아무래도 그런 것 같소. 허허….

아이고~, 부끄러워라. 교제 신청을 받다니…, 셔지원 그 사람에게서. 꿈이 아닐까?

우리 슬비의
어떤 점이
좋던가?

저 자신이 그러한
기분을 느끼게 될 줄은
정말 몰랐습니다.

……

슬비를 생각하면
왠지 마음이
안정되고…

더할 수 없이
즐거운 기분이
듭니다.

좀 더 슬비를
깊이 알고 싶습니다.
…허락해주십시오.

아무래도
아침이니까
따끈한 밀크가
낫겠죠?

타

아,
감사합니다.

자네 부모님의
허락은 얻었나?

살아계셨다면
틀림없이 허락
하셨을 겁니다.

전시 작품을
보고 가는 길에
서울랜드에 들르자.
괜찮지?

그럼요.

야~, 잘됐다.

우리 거기 가면
자유이용권 끊어서
놀이기구들 몽땅
다 타봐요.

슬비.
참 이상한 일이야.

어쩐지 너랑 남이라는 게
견딜 수 없이 싫다.

너에게는 내가 찾고 있던
그 무엇이 있나 봐.

가만히 있어도
사람의 마음을
따뜻하게 해주는
그 무엇….

허전한 마음을
가득 채워주는
…그… 무엇….

칫—, 억울해요.
사진들은 전부 푸르매만
유리하게 찍었어요.
봐요, 여기도 그렇고
여기도…. 이것도 그래.

예쁘게 찍고
싶어도….

카메라는
거짓말을 못하니
별 도리 있었겠어?

우욱~.
저 녀석이 아까부터
계속 시비를 거는데….

이건…,

푸르매와 나의
백일 사진이군요.
그렇죠?

어머니는 지금
누구를 보고 계신 건가요.
슬비…인가요?

…슬…비…인가요….

서지원이
웬 여자애랑 같이
등교하고 있어!

와
와
와

이슬비 아냐?
지난번 폭력배
사건의…

어휴~

슬비 언니가
왜 서지원과…

스포츠 만능이라는
그 애잖아?
깡패 수십 명을 쳐부순
원더우먼 이슬비.
같은 여학생들 사이에서는
굉장한 인기라던데….

뭐,
뭐라고?

으음~

생각보다
멋진 애일지도.
서지원의 상대쯤
되려면….

매력이라곤
눈 닦고 봐도
안 보이는 것
같은데 말이야.

나한테…
하는 말이야?

저게 며칠이나 갈까?

글쎄…. 길면 몇 주,
짧은 경우라면 고작
며칠로 그치겠지 뭐.

등하교까지
같이 하는 걸로 봐선
그리 오래갈 것
같진 않아.

친절하게 충고
해주는 거야.

연예계 사람들이
바람둥이란 거
잊지 말라고.

인기인이라는 점을
내세워서 아무나
골라 사귀고 금방
싫증내는 반복.
거쳐가는 애들이
수두룩한데 너라고
별수 있겠어?

나중에 낯 뜨거워서
학교엔 어떻게 올까 몰라.

질투도
정도껏 해라!
보기 추하다!

서지원이
언제 그런 스캔들에
휘말린 적 있니?
이제 그에게도
이슬비라는 한 사람의
여자 친구가 생겼을 뿐이야!

신경 쓰지 마.
질투 땜에 그러는
것뿐이야.

질투라고?

우상이자 연인에게
유일한 상대가 생긴다는 게
팬들 입장에선 충격인 거지.
그를 좋아하는 만큼 네게
질시가 돌아오는 거야.

후훗…, 멋져, 슬비야.
그 유명한 서지원의
걸프렌드가 너라니,
내가 다 신난다.

좀 의외란
생각도 들긴
하지만.

질시라…
으음…
그런건
생각못했
는데…

난 네가 흑나비란
사람을 좋아하는 줄
알았거든.

그래…, 흑나비.
갑작스러운 일들 때문에
그 사람을 잊고 있었어.

Bye

슬비.

간단해.

저 애 스스로
지원 씨 곁에서
떨어져 나가게
만드는 거야.

네 매력이
어느 정도인지
시험해보는 것도
좋지 않아?

만인의 연인
서지원에게서
여자를
빼앗는다…

그만한 주제라면
네 허영심과 우월감을
만족시키기에 족할 텐데?

나더러 저 앨
유혹하란 말이야?

Yes!

난 그런 것으로
내 가치를
측정하지 않아.

더욱이 여자에겐
눈곱만큼의
관심도 없어.

흥~. 이걸 보면
꼭 그런 것 같지는
않은걸?

무슨….

네가 어떻게….

파
스

어딜―.

…이리 줘.

헤~, 놀랐는걸.
석빙고 조종인에게
짝사랑하는 여자가
있었다.

정말 빅뉴스야.
이걸 퍼뜨리면
지원 씨 일 못지않은
스캔들이 되겠지?

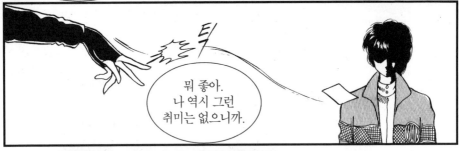

뭐 좋아.
나 역시 그런
취미는 없으니까.

…그러나

한 가지만은
반드시 명심하고
넘어가는 게 좋아.

네 존재가
어떠한
형태로든…

지원의 앞을
가로막는
걸림돌이 된다면
넌 그대로
끝이라는 걸.

조종인, 네 포장지를
모두 제거하면
뭐가 나오는지 알아?

가식적이고
허영에 들뜬 남자.
더없이 치졸하고
더없이 비겁한.

닥쳐!

수업 끝나자마자 바로 가버렸대. 둘이 같이.

으음…

조용히 말로 타일러볼까 했더니, 안 되겠군.

그래, 그릇된 길로 들어서는 친구에겐 말보다 회초리가 100배 효과적이야.

우리도 그만 나가자.

비둘기는 먼저 갔나?

우우…

격분해서 돌아갔어.

대단하던걸, 그 박력.

…왜 하필이면 그 녀석이지, 슬비?

걔도 은근 흉포한 애야.

그 녀석만은 안 돼! 절대!!

쑤아아

여자를
싫어한다는
소문도 있더라.

하지만,
성격이 너무
차가워서

다가가기
힘들어.

쳇—.
인기 있다고
뻐기는 거지.

…그런 거냐, 장미.

너도 그래서
그런 거냐?

알 수가 없어.
나는…
보다 완벽한 인간이
되기 위해,
보다 강한 자가
되기 위해
노력한 것뿐인데,
왜 그런 비난을
받아야 하는 거지?

넌 나에 대해서 아무것도 모르잖아.
처음으로 용기를 낸 나의 고백이 그리 짓밟힌 것에
얼마나 크게 상처받았는지…,
그 아픔을 감내하면서 얼마나 고통스러웠는지…,

넌 하나도 모르잖아.

그 무표정한
얼굴을 마주칠 때마다
다시금 솟구치는
고통과 인내를…,
그 반복을 하나도…

하나도!

뭐가 뭔지
나도 잘 모르겠다.

머리 속이 온통 뒤죽박죽이 되어버렸어.
엉겁결에 휘말린 느낌….

그래, 처음에는
조종인을 좋아했는데,
어느 사이에 흑나비를
생각하게 되었지.

그리고
지금은….

상냥하고 아름다운
서지원 씨….

위급할 때마다 나타나
나를 구해주는 흑나비.

으음….
생각하고
생각해봐도
두 사람 다
좋은걸.

나 바람둥이인가 봐.

자진
납세

책, 책이
찢어졌다아—!

정말?!

난 몰라~!
어떡하지.

침착해, 슬비.
이럴 때일수록
이성을 찾는 거야.

우선 풀과 가위,
스카치테이프를
가지고 와.

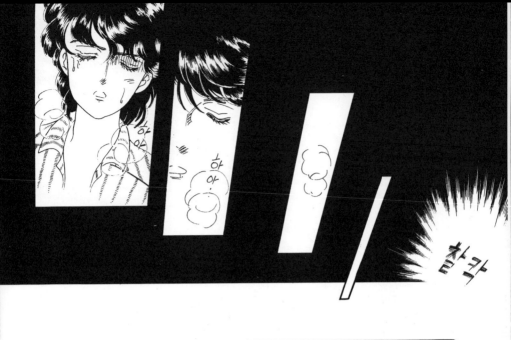

아무래도 소재들이
너무 평이해.
뭔가 다른 게 없을까?
뭔가….

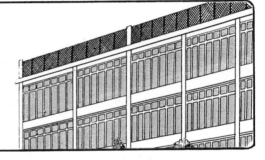

좀 더
살아 있는
느낌을 주는….

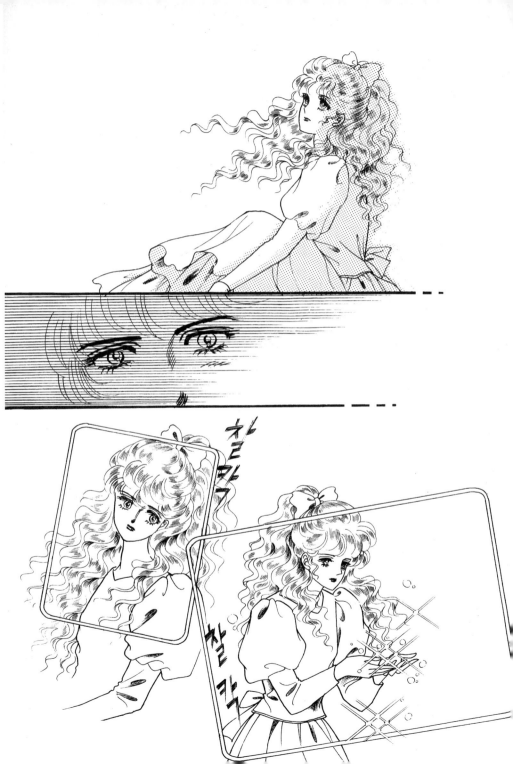

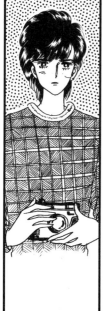

아…, 정말
아름답다.
그치?

그래.

번쩍!

우와!

번쩍!

조종인이라는
1학년 애
작품이래.

백…장미라고….

지금까진 몰랐는데…
너희 누나 표정이
진짜 부드럽다.

사랑의
힘이란 건
굉장하군.

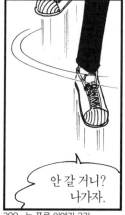

안 갈 거니?
나가자.

야아~,
푸르매 선배님!

선배님,
오후에 시간
있으세요?
다 같이
롤러 타러 가요.

—그때 왠지
이상한 느낌이
전해져왔다.
그것은 마치….

오늘은
지난 실수를
만회해야 돼.

MBS 공개
스튜디오에서
공개 녹화 방송을
할 거야.

중요한 건 지금부터야.
활동이 움츠러들어선
안 돼.

그렇게
안달할 것 없잖아.
모두들 내가
받을 거라고
장담하는데.

이번 음악대상
최우수 신인상을
지원 씨가 받아야 해.

물론이지.
지원 씨는
가요 차트에서
두 번이나
골드컵을
수상한
톱싱어….
하지만 방심은
금물이야.

이 시점에서
더 이상 스캔들을
만들어선 안 돼.
…그 여자애와의
관계 정리해.

혜자, 너는 좋은 매니저라서 나는 언제나 너를 믿고 의지해.

…하지만 내 사생활까지 간섭하는 건 용납 않겠어.

지원 씨는 보통 사람이 아니라 연예인이야.

자신의 몸이 자신만의 것이 아니잖아?

난 그런 거 몰라.

…당신은 어쩜 그렇게도 어린애 같지?

세상이란 그렇게 만만한 곳이 아닌데….

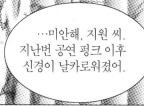

…미안해, 지원 씨. 지난번 공연 펑크 이후 신경이 날카로워졌어.

그때 종인의 활약으로
위기를 넘겼지만,
왠지 기분이 좋지 않아.

아직은
애송이에 불과하지만,
그에게는 신선함이 있어.
팬들은 항상 새로운 것을
원하니까….
인기라는 것은 모래성과 같아서
쉽게 쌓아지지만 또한
쉽게 허물어지지.

그 무대에서
종인은 제법
위협적이었어.

그래.
10대의 팬들은
더욱 그래….

아직은 염려할 것 없어.
서지원은 여전히
최고 인기 가수니까.
한눈팔지 말고 착실히 하면
영광은 지원 씨 거야.

어서 가.

그래.

니이야!

오늘은 미야도
스튜디오
구경하겠구나.

저 요물 고양이.

며칠 전에 정말
심장마비 일으킬 뻔했어.
죽은 줄 알았던 고양이가
다시 나타났으니.

부르릉
부르릉

아니, 차가
왜 이러지?

그래도
푸르매 넌 알고 있었잖아.
꿈은 꿈으로 끝나….

결국… 너는 시한부 왕자.

그러니 진짜 왕자가
나타난 지금에는
공주님을 보내야지.

…그렇게 맹세했잖아.

알고 있다.
―이것은 질투!

그 해 겨울….
뜻밖의 진실과 부딪친 후
줄곧 키워왔던 나의 꿈이
깨어진 데 대한 분노….

할 수 없지.
오늘은 그냥 가고
다음에….

어차피 지원 씨와 먼저
약속했었으니까.
……?

하
하
하

아하하…,
그럼, 지원 씨
다음에….

친구들이
기다리고
있으니….

그래, 그럼
다음에 봐,
슬비.

네—,
안녕히 가세요.

『늘 푸른 이야기 2권』 끝

LEE MI RA SPECIAL EDITION

늘 푸른 이야기 2

2023년 4월 25일 초판 1쇄 발행

저자 이미라

발행인 정동훈
편집인 여영아
편집책임 최유성
편집 양정희 김지용 김혜정
디자인 형태와내용사이

발행처 (주)학산문화사
등록 1995년 7월 1일
등록번호 제3-632호
주소 서울특별시 동작구 상도로 282 학산빌딩
편집부 02-828-8988, 8836
마케팅 02-828-8986

ISBN 979-11-411-0335-4 (07650)
ISBN 979-11-411-0333-0 (세트)

값 16,500원